Wilhelm Topsch
KATZE, LIEBE KATZE
Bilder von Reinhard Michl

Verlag Friedrich Oetinger · Hamburg

Hinter dem Wald, gleich neben dem Mühlbach, lag ein alter Bauernhof. Dort gab es viele Tiere: Kühe, Schweine, Hühner, Enten und Gänse, eine Katze und . . . jede Menge Mäuse.

Die Mäuse lebten in der Scheune neben dem Hühnerstall. Dort hüpften sie herum, sammelten Futter, spielten, erzählten sich Geschichten und waren guter Dinge. Aber wenn die Katze kam, hörte der Spaß auf. Dann rannten die Mäuse um ihr Leben.

So war das damals auf dem Bauernhof. Es gab gute Tage, an denen die Katze schlief und die Mäuse ungestört treiben konnten, was sie wollten. Und es gab schlechte Tage, an denen die Mäuse in ihren Verstecken saßen und zitterten und weinten.

Zum Glück waren die Mäuse viel öfter lustig als traurig. Und es gab viel gesunden Nachwuchs.

Amadeus war ein Mäuserich im besten Alter: flink, pfiffig, beliebt und ein bißchen musikalischer als die anderen Mäuse. Auch Amadeus war meistens vergnügt. Aber seit einigen Tagen saß er in einer Ecke und seufzte. Er wollte nicht spielen, nicht essen, nicht singen, nicht tanzen und hatte auch sonst zu gar nichts Lust.

Da machten sich seine lieben Mitmäuse wirklich Sorgen. Sie packten ihn und schleppten ihn quer durch die Scheune bis hinauf in den äußersten Winkel des Heubodens. Dort lebte eine alte Fledermaus, die für jede Mausekrankheit das rechte Kraut wußte und bei der auch sonst guter Rat nicht teuer war.

»Na, dann wollen wir mal sehen«, sagte die Fledermaus. Sie zupfte ihn mit ihren spitzen Fingern am linken Ohr und fragte: »Tut das weh?«

Amadeus schüttelte den Kopf.

Sie zupfte am rechten Ohr, sie drückte auf seinen Bauch, sie zog an seiner Nase, sie kniff in seinen Schwanz. Aber Amadeus schüttelte jedesmal den Kopf. »Da tut's mir nicht weh«, sagte er.

»Das ist schlecht«, murmelte die Fledermaus.

Sie kam ganz nah an Amadeus heran, drückte ihren Finger dorthin, wo unter Amadeus' grauem Mausepelz das kleine Mauseherz pochte. »Tut es vielleicht hier weh?« fragte sie. Amadeus nickte.

»Das dachte ich mir«, murmelte die Fledermaus. Sie legte ihr Ohr auf Amadeus' Brust und lauschte lange. »Schlimm, schlimm«, murmelte sie schließlich.

»Ist es ansteckend?« riefen die anderen Mäuse.

»Das nicht«, sagte die Fledermaus, »aber es ist trotzdem schlimm: Ein schweres Herzleiden, Amadeus ist nämlich unglücklich verliebt. Und das kann ihn das Leben kosten.«

Da seufzte Amadeus laut und lange und sagte mit heiserer Stimme: »Ehrlich wahr! Ich liebe nämlich die Katze.«

Die anderen Mäuse quiekten vor Entsetzen und riefen: »Aber ihre Augen sprühen wie Feuer!«

»Ach, ihre Augen sind klar wie Glas. Klarere Augen sah ich niemals. Und ihre Pfoten sind weich wie Samt«, flüsterte Amadeus.

»Aber ihre Krallen!« riefen die anderen.

»Nun ja, ihre Krallen . . .« Amadeus schluckte. »Wer die Katze liebt, der darf die Krallen nicht fürchten. Ich werde zu ihr gehen und ihr alles erklären.«

Einen Tag lang dachte Amadeus nach, wie er die Katze besänftigen könnte, damit sie ihn nicht gleich auffraß. Dann hatte er eine Idee: Er wollte ihr etwas vorsingen, denn Amadeus war ja eine musikalische Maus. Er hatte sich ein Lied ausgedacht, wie man es zwischen dem Bauernhof und dem Mühlbach noch nie gehört hatte.

Amadeus dachte: Man sagt, Musik öffnet die Herzen. Und ein offenes Herz ist mir allemal lieber als ein offener Rachen!

»Ade, Amadeus«, flüsterten die anderen Mäuse traurig, als Amadeus Abschied nahm. Manches scheue Mausemädchen mit Öhrchen so zart wie Rosenblätter seufzte ihm wehmütig hinterher.

Und Amadeus machte sich auf den Weg. Er hatte keine Angst, aber sein Herz war schwer wie eine Pellkartoffel.

Die Katze saß am offenen Küchenfenster und schlief. Amadeus versteckte sich im Rosenstrauch, der unter dem Fenster stand, nahm allen Mut zusammen und sang mit klarer Stimme:

»Feinstliebchen, komm ans Fenster, erhöre mein Flehen!
O eile, meinem Schmerz Balsam zu spenden.
Kannst meine Liebe du grausam verschmähen,
dann mag ein rascher Tod mein Leben enden.«

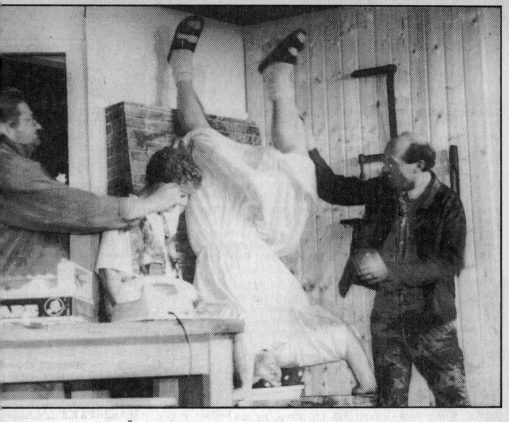

attdeutsche Komödie „Över Kopp", gespielt vom Theater-Club Kattendorf, lebt von den skur-
Einfällen zweier verhinderter Jungunternehmer und vielen turbulenten Szenen. Foto dk

Wirtschaftsminister schaltet sich ein

Quickborn (mag) - In der fast 20 000 Einwohner zählenden Stadt Quickborn werden nach Geschäftsschluß die Bürgersteige hochgeklappt. Wer seinen Abend außer Haus verbringen möchte, kann allenfalls ein Eßlokal aufsuchen oder sein Glück an einem Spielautomaten versuchen. Das soll sich nun ändern. Der Norderstedter Kaufmann Jörn Gätje möchte am südlichen Ortseingang an der Kieler Straße ein mehr als sechs-Millionen-Projekt errichten, in dem ein Kino, ein großes Restaurant mit Saal, eine Aldi-Filiale, ein Getränkemarkt und Büroflächen Platz finden sollen. Im April soll der erste Spatenstich erfolgen, hofft der Hamburger Architekt Kay Klünder.

Wenn es nach dem Willen des Investors und des Kinobetreibers Jürgen Grütz, der bereits in Barmstedt, Henstedt-Ulzburg und Kaltenkirchen Lichtspielhäuser betreibt, gegangen wäre, würden in Quickborn schon heute Filme

Quadratmeter seines Grundstückes für die Errichtung einer Erschließungsstraße abzugeben. Das Angebot der Stadt Quickborn, ihm hierfür 300 000 Mark zu zahlen, lehnte er ab. Die doppelte Summe sollte es schon sein, ließ Falke die Stadt wissen, die daraufhin ein Enteignungsverfahren in Gang setzte. Da nicht absehbar ist, wie lange dieses Verfahren dauert, soll eine provisorische Zufahrt den Bau ermöglichen.

Gegen die Pläne des Quickborner Bauamtes meldete das Itzehoer Straßenbauamt allerdings Bedenken an. Wenn die Verwaltungsschiene nicht läuft, können vielleicht die Politiker etwas bewirken, dachte sich Gätje. Und siehe da, die rührige Noch-Landtagsabgeordnete Sabine Hamer (SPD) schaltete Verkehrs- und Wirtschaftsminister Peer Steinbrück ein, der das Projekt „Kino in Quickborn" befürwortet. Der Dank des Investors galt aber auch den Quickborner SPD-Politikern Karl

Besichtigung vor Ort: R
Jürgen Grütz, Sabine Ham
Klünder und Hans-Jürgen

Termine

Baumschutzsatzu

Quickborn (vy) - Am Don
tag, dem 15. Februar, begin
17 Uhr ein öffentliche Sitzun
Umwelt- und Entsorgun
schusses in der Aula der

Noch freie Plätze in Fortbildungskursen

Quickborn (vy) - Die Volkshochschule meldet noch einige freie Plätze fin folgenden Kursen: MS Exel 5.0: Freitag, 15. März, 18 bis 21.30 Uhr und Samstag, 16. März, 9 bis 17 Uhr (135 Mark); Windows 3.11: Freitag, 16. Februar, 18 bis 21.30 Uhr und Samstag, 17. Februar, 9 bis 17 Uhr (121 Mark); Allgemeine Betriebswirtschaftslehre: Montag, 18. bis Freitag, 22. März, anerkannt in Schleswig-Holstein und Hamburg als Bildungsurlaub (250 Mark). Auch im Kreativbereich haben Interessierte noch die Chance, sich anzumelden: „Altamerikanische Handarbeiten" werden vermittelt an sechs Abenden, Beginn am Mittwoch, 21. Februar, von 19.45 Uhr bis 21.45 Uhr. Die Teilnehmer werden sich mit Patchwork, Hand-Quilten, Knötchenstickerei und Schablonenmalerei nach „Alt-Kolonial"-Mustern beschäftigen. Zwei Ausdrucks-Mal-Samstage unter dem Titel „Spiegelbilder" werden schließlich angeboten am 24. Februar und am 23. März, jeweils von 11 von 17 Uhr, Dozentin ist Frau Willner-Harder. Beide Kreativkurse kosten jeweils 40 Mark. Zwecks Anmeldung und weiterer Informationen werden Interessenten gebeten, sich bei Frau Lühdorff unter Telefonnummer 04106/611-146 zu melden.

üllerwiebus, Kinobetreiber r Jörn Gätje, Architekt Kay (von links). Foto: mag

hüler-Hallensportfest

ckborn (vy) - Der TuS Holn Quickborn veranstaltet am nstag, 24. und Sonntag, 25. ruar, ein Schüler-Hallensport-. Nähere Informationen erteilt TuS Geschäftsstelle an der er Straße 89 (Telefonnummer 82). Meldungen werden bis Samstag, 17. Februar, erben an Karl-Heinz Tapken, Feld-ße 18, 25451 Quickborn lefonnummer 68976).

Faschings-Fete für Kinder

Quickborn (vy) - Die Spieliothek in der Goethestraße 50 bis 52 feiert auch in diesem Jahr wieder ein Faschingsfeste. Am Dienstag, 20. Februar, können Jungen und Mädchen zwischen 15 Uhr 17 Uhr in Kostümen und Verkleidungen zum Feiern kommen und sich bei Musik und abwechslungsreichen Spielen vergnügen. Getränke, heiße Würstchen und Kuchen werden außerdem angeboten.

Naturschutzverein trifft sich

Hasloh/Quickborn (sp) - Zur ordentlichen Mitgliederversammlung lädt der Vorstand des Naturschutzvereins Hasloh/Quickborn zur Rettung der Moore e.V. zu Donnerstag, dem 22. Februar um 20 Uhr ins TuS Heim, Am Sportplatz 2, ein. Auf der Tagesordnung stehen neben dem Tätigkeitsbericht des Vorstandes Neuwahlen und die Genehmigung der Haushaltspläne für 1996.

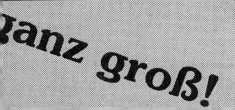

Aus den Gemeinden

Theater-Club Kattendorf mit neuem Stück:

Wirbel um zwei „dynamische" Jungunternehmer

Kattendorf (dk) - Premierenstimmung herrschte im ausverkauften Saal von Steenbucks Gasthof in Kattendorf. Der Theater-Club Kattendorf hatte unter der Regie von Birgit Schnackenberg sein neues Stück einstudiert: „Över Kopp" heißt die von Jürgen Kropp verfaßte Komödie in drei Akten. Die gelungene Bühnenausstattung schuf Heidi Halm.

Zwei Stunden lang hatten die Zuschauer Gelegenheit, sich über die Höhen und Tiefen zweier Jungunternehmer aufs Köstlichste zu amüsieren: Die arbeitslosen Freunde Peter und Harald - hier glänzten Thomas Denker und Burkhard Blank als Akteure - wollen als Selbständige das große Geld verdienen. Dabei lassen sie ihrer Phantasie freien Lauf. Besonders Peter versucht sich als großer Erfinder, zum Mißvergnügen seiner Ehefrau Maren (temperamentvoll gespielt von Birgit Mai).

Aus zwei oder drei mach' eins, heißt Peters Devise. Dabei stößt er nicht immer auf die Gegenliebe seiner Auftraggeber. Die wollen nämlich ihre Geräte nur reparieren lassen. So ist Herr Mewes (Svend-Olaf Michelsen) völlig aus dem Häuschen, als er anstatt des Staubsaugers seiner Frau und seiner Bohrmaschine beides ver-

eint als „Bohrsuchhammer" zurückerhält. Ebenso empört ist die Nachbarin Fruu Stenzel (Heinke Lenge): Aus ihrem Radio, einem Mixer und einem Bügeleisen hat Peter ein Gesamtgerät gebaut, das natürlich zum täglichen Gebrauch nicht taugt. Als Herr Mewes schließlich als Yogaschüler von Peter die Bühne im rosaroten Flatternachthemd betritt und auf dem Kaminsims eine Zeit lang in atemberaubendem Kopfstand verharren muß, brüllt das Publikum vor Vergnügen.

Doch damit nicht genug: Peter und Harald, die dynamischen Jungunternehmer, gründen das „Unmögliche Transportunternehmen". Die Nerven von Peters Ehefrau Maren liegen inzwischen blank. Sie droht mit ihrem Auszug, wenn er von seinen „bekloppten" Einfällen nicht endlich Abstand nimmt. Doch vorher schmiedet sie zusammen mit ihrer Freundin Britta (kess gespielt von Ina Gerigk) äußerst anrüchige Pläne. Diese sollen die beiden verhinderten Unternehmer wieder auf den Boden der Tatsachen führen und sie einem vernünftigen Broterwerb nachgehen lassen.

Ein gutes Geschäft witternd, nehmen die beiden Freunde den fin-

gierten Auftrag von Maren [und] Britta an und erleben e[inen] erneuten Reinfall. Über die[ses] sei hier nur so viel verraten, [daß] hierbei ein Güllewagen im M[ittel]punkt steht. Der smarte C[hauf]meur Harald kann sich ele[gant] aus der Affaire ziehen, wäh[rend] Peter unter den Stockhie[ben] eines aufgebrachten Bauern [in] einem stinkenden Outfit zu le[iden] hat. Aus dieser Sache will Fo[to]porterin Gaby (Elfi Rau) [eine] interessante Story machen [und] die beiden als erfolgre[iche] Umweltschützer groß heraus[brin]gen. Schließlich kommt es [zu] tumultartigen Szenen, und [die] beiden verhinderten Jungur[ter]nehmer wollen nun doch e[iner] geregelten Arbeit nachgehen.

Die begeisterten Zusch[auer] spendeten den Darstellern [ver]dienten und langanhaltenden [Bei]fall. Wer neugierig geworden [ist,] sollte sich den Spaß nicht en[tge]hen lassen. Der Kattendo[rfer] Theater-Club wiederholt sei[nen] Auftritt ein Steenbucks Ga[sthof] am 16., 17. und 23. sowie am [24.] Februar jeweils um 20 Uhr. A[m 1.] März gastieren die Darsteller [mit] ihrem Stück „Över Kopp" um [20] Uhr in der Kaltenkirchener [Ju]gerhalle.

Während Amadeus sang, war die Katze aufgewacht. Ihre Augen sprühten wie Feuer. Ihre Krallen zuckten vor Ungeduld. Mit einem riesigen Satz sprang sie vom Fensterbrett.

»H-a-a-a-r-r-r-ch«, fauchte die Katze und wollte die Maus packen.

»Unverschämter Bursche! Einen raschen Tod kannst du haben!«

»Hi-hi-hi-l-f-e!« schrie Amadeus. »Man muß die Kunst doch nicht so wörtlich nehmen!«

Und er rannte um sein Leben.

Am Abend, als er wieder in seinem Versteck saß, dachte Amadeus: Die Musik war gut, daran gibt es keinen Zweifel. Die Katze hat sich bestimmt nur über den Text geärgert. Also versuch ich's ohne Text. Ich will tanzen. Das wird der Katze bestimmt gefallen. Zwei Tage lang übte er Kniebeuge und Beinschlag, Kapriolen, Arabesken, Barthaarzucken und Schwanzakrobatik. Daß er immer wieder hinfiel, machte ihm nichts aus. Auch daß ein Barthaar abbrach, nahm er gelassen hin. Aber daß er vom vielen Tanzen einen Muskelkater bekam, das war schlecht, denn diesmal mußte er näher an die Katze heran als je zuvor.

Amadeus machte sich zum zweitenmal auf den Weg. Seine Beine taten ihm weh, und sein Herz war schwer wie eine Quarkschüssel.

Die Katze saß vor dem Kuhstall. Sie hatte es sich auf dem Melkschemel gemütlich gemacht und war gerade ein bißchen eingeschlafen. Im Traum war es ihr, als riefe jemand:

»Katze, liebe Katze! Ich habe mir etwas ausgedacht, das nach deinem Geschmack sein wird.«

»Was ist es denn?« fragte die Katze verschlafen.

»Ich will dir etwas vortanzen.«

»Dann tanze«, murmelte die Katze.

Amadeus kam noch ein bißchen näher an den Melkschemel heran und fing an zu tanzen.

Die Katze öffnete die Augen einen Spalt weit und sah eine tanzende Maus. Entweder träume ich, dachte sie, oder die viele Milchmolke ist mir zu Kopf gestiegen.

»Schißkojoto«, fauchte sie schließlich, »betrunken bin ich nicht, und ein Traum ist das auch nicht: Also ist es wahr!«

Ihre Augen sprühten, und ihre Krallen zuckten.

»Na«, fragte Amadeus, »war das nach deinem Geschmack?«

»H-a-a-a-r-r-rch!« machte die Katze und sprang vom Melkschemel. »Dir werd
ich zeigen, was einer Katze schmeckt!«

»Hi-hi-hi-l-f-e!« schrie Amadeus. »So war es doch gar nicht gemeint!« Und er
rannte um sein Leben. Aber seine Beine taten vom Tanzen weh, und die Katze
war schneller.

Eben wollte sie zupacken, da rief Amadeus: »Vorsicht! Ein Krokodil!«

Die Katze stoppte und drehte sich um. Ehe sie begriff, daß sie hereingelegt
worden war, hatte sich Amadeus längst in Sicherheit gebracht.

Amadeus überlegte hin und her. Er suchte drei Tage lang, bis er etwas fand, was er der Katze schenken konnte.

Es war eine rote Glasscherbe. Wenn man durch das Glas hindurchschaute, war alles rot: die Hand, der Sand und das Land, alles war rot — rosenrot. So etwas Schönes hatte Amadeus noch nie gesehen.

Also machte er sich zum drittenmal auf den Weg zur Katze. Angst hatte er auch diesmal nicht, aber sein Herz war schwer wie ein Schweizer Käse.

Die Katze lag im Obstgarten unter einem Apfelbaum.

Sie hatte die Augen bis auf einen engen Spalt geschlossen und tat so, als ob sie schliefe. Aber ihre Krallen zuckten, als sie die Maus kommen sah.

Amadeus hielt die rote Glasscherbe vor sich und ging näher an die Katze heran, als es für eine Maus gut ist.

»Katze, liebe Katze«, rief er, »sieh nur, was ich dir Schönes schenke. Schau durch das Glas und hör mir zu!«

Die Katze öffnete ihre Augen und blickte durch das Glas. Da sah sie plötzlich rot: das Haus, die Laus und die Maus, alles war rot — blutrot.

»H-a-a-a-r-r-r-ch!« fauchte die Katze. »Ich will dich lehren, eine Katze zu beschenken!«

Und sie stürzte sich auf die Maus.

»Hi-hi-hi-l-f-e!« schrie Amadeus und rannte um sein Leben. Aber die Katze war schon da. Sie packte ihn und schrie: »Jetzt freß ich dich, jetzt und auf der Stelle!«

»Katze, liebe Katze«, rief Amadeus in höchster Not. »Laß mich los! Ein wilder Hund ist hinter dir her und will dich totbeißen!«

»Du Dummkopf«, fauchte die Katze, »glaubst du, ich laß mich zweimal auf die gleiche Weise betrügen?«

»Diesmal ist es die Wahrheit«, fiepte die Maus, »und wenn dir dein Leben lieb ist, dann lauf, was du kannst!«

Aber die Katze wollte nicht hören — und es wäre auch schon zu spät gewesen.

Denn im selben Augenblick sprang ein riesiger Dorfhund auf die Katze los.

Die Katze hatte keine Zeit mehr zu fliehen, und sie konnte sich auch nicht mehr wehren. Der Hund schnappte sie und beutelte sie, daß ihr Hören und Sehen verging.

Kaum war Amadeus den Krallen der Katze entwischt, stürzte er tapfer dem Hund entgegen.

»Laß die Katze los, sonst kannst du was erleben!« piepste er.

Aber der Hund packte die Katze nur noch fester, schüttelte sie und wollte nichts lieber, als sie totbeißen.

Da sprang Amadeus dem Hund auf den Rücken, kletterte auf seinen Kopf und turnte vorsichtig zwischen den Augen hindurch bis zur Nase. Er sah die großen gelben Hundezähne und das Nackenfell der Katze, das rot von Blut war.

Amadeus nahm all seine Kraft zusammen und biß dem Hund, so fest er konnte, in die Nasenspitze.

»J-a-a-a-ooo-uuu-h«, jaulte der Hund und ließ die Katze fallen. Er schüttelte seinen schweren Kopf, daß Amadeus wie ein Wassertropfen durch die Luft spritzte.

Wutentbrannt stürzte sich der Hund auf die Maus. Aber er konnte sie nicht packen, denn die Maus war schneller.

Und während der Hund die Maus jagte, schleppte sich die Katze aus dem Obstgarten hinunter zum Bach.

Dort fand Amadeus sie. Sie lag lang ausgestreckt im hohen Gras und rührte sich nicht mehr.

»Katze, liebe Katze«, flüsterte Amadeus, »bist du tot?«

Die Katze röchelte ein bißchen.

Da rannte Amadeus in die Scheune, um die Fledermaus um Rat zu fragen.

»Amadeus, armer Deus«, sagte die Fledermaus, »nimm Spitzwegerich, Schafgarbe und Johanniskraut, misch Baldrian dazu und bedeck die Wunden der Katze bei Tag und Nacht. Aber hüte dich! Wenn sie wieder zu sich kommt, wird sie dir deine Hilfe nicht danken. «

Amadeus sammelte alles, wie die Fledermaus es ihm aufgetragen hatte, und legte der Katze die feuchten Kräuter auf die Wunden.

»Katze, liebe Katze«, sagte Amadeus und streichelte ihren großen Kopf, »du darfst nicht sterben.«

Da seufzte die Katze leise.

Sie muß etwas fressen, damit sie wieder zu Kräften kommt, dachte Amadeus und lief zum Bauernhaus. Neben der Speisekammer stand eine Mausefalle, das wußte er. Und in der Falle steckte ein herrliches großes Stück Speck.

Vorsichtig kroch Amadeus heran, und es gelang ihm tatsächlich, den Speck in die Pfoten zu bekommen. Gerade als er es geschafft hatte und davonlaufen wollte, sprang die Falle — klack — zu. Amadeus spürte einen stechenden Schmerz in der Schwanzspitze. Aber das machte ihm nichts aus. Glücklich kehrte er mit dem Speck zur Katze zurück.

»Katze, liebe Katze«, flüsterte Amadeus, »bald wirst du wieder gesund sein.«

Und er biß kleine Speckstückchen ab und schob sie der Katze in den Mund.

Sie öffnete die Augen nicht, aber sie begann zu schlucken.

Nachts kuschelte er sich an sie und wärmte sie, so gut es ging. Amadeus war glücklich und traurig zugleich.

»Es gibt ein Land«, flüsterte er, »weit weg von hier. Dort ist Frieden. Dort können auch Katze und Maus gute Freunde sein. Hörst du, Katze?«

Aber die Katze bewegte sich nicht.

Da rauschte es in der Luft. Die Fledermaus flog vorbei. »Amadeus, armer Deus«, rief sie leise, »die Welt ist, wie sie ist. Und das Land gibt es nur in deinen Träumen.«

Am nächsten Tag machte die Katze den Mund schon von allein auf, als Amadeus sie fütterte.

»Nun habe ich Durst«, flüsterte sie mit rauher Stimme, und Amadeus schleppte Wasser in einem gebogenen Blatt heran.

»Trink, liebe Katze«, sagte er, »damit du wieder gesund wirst!«

Und die Katze trank mit geschlossenen Augen.

»Ich bin eine Katze«, sagte sie danach heiser, »hast du das vergessen?«

»Nein«, sagte Amadeus, »das habe ich nicht vergessen.«

»Dann mach dich davon«, sagte die Katze, »denn morgen werde ich wieder gesund sein. Du hast mir das Leben gerettet, und es würde mir leid tun, dich zu jagen.«

Der Tag verging, und als die Dunkelheit kam, weinte die Maus bitterlich.

»Weine nicht«, sagte die Katze leise, »ich wäre gern deine Freundin. Aber es juckt und zuckt abscheulich in meinen Krallen, wenn ich dich sehe. Deshalb muß ich immer die Augen zumachen, wenn du bei mir bist. Denn ich bin eine Katze, und du bist eine Maus — den Rest kannst du dir selber denken.«

Als die Katze eingeschlafen war, begann die Erde vor Amadeus zu beben. Sie türmte sich zu einem Hügel auf, und ein Maulwurf schaute heraus.

»Ein großer Haufen«, sagte er zufrieden, »nicht wahr, Amadeus, ich habe einen schönen großen Haufen gemacht? Und was machst du? Stimmt es, daß du einer Katze nachläufst?«

»Ja, es stimmt. Ich liebe sie nämlich«, sagte Amadeus, und er schaute verlegen zu der schlafenden Katze hinüber.

»Amadeus hat den Verstand verloren!« prustete der Maulwurf. »Er liebt eine Katze! Also, ich kannte mal einen Regenwurm, der hatte sich in einen Maulwurf verliebt. Und willst du die Wahrheit wissen? Ja? Er schmeckte genauso wie die anderen! Hahr-hahr, ein guter Witz! Aber im Ernst: Du solltest verschwinden, solange die Katze noch schläft!«

»Nein«, antwortete Amadeus, »ich bleibe hier.«

»Na, nichts für ungut«, brummte der Maulwurf, »ich werde bestimmt noch oft an dich denken. Aber jetzt muß ich mal wieder einen anständigen Haufen machen!«

Und damit verschwand er unter die Erde. Man hörte, wie er anfing zu graben und wie er rief: »Ja, ja, ohne Schnaufen — kein Haufen! Hahr-hahr-hahr!«

Und wenig später dröhnte es von tief unter der Erde: ». . . und ich sage dir, du schmeckst ihr genauso gut wie die anderen!«

Dann war es wieder still. Amadeus saß da und fror, aber er traute sich nicht, sich an der Katze zu wärmen.

Es dauerte nicht lange, da kam eine alte Unke, setzte sich neben Amadeus und seufzte tief und lange.

»Was hast du?« fragte Amadeus.

»Laß mich«, sagte die Unke, »ich sehe in deine Zukunft, und ich sehe nichts Gutes. Fürchte dich, Amadeus!«

»Pah«, rief Amadeus, »laß mich in Ruhe! Ich will dein Geunke nicht hören!«

»Nicht hören . . . nicht hören«, seufzte die Unke und machte sich auf den Weg. »Niemand will es hören, aber das Unglück kommt! Fort, fort, Amadeus, flieh von diesem Ort!«

»Ich bleibe hier«, rief Amadeus der Unke nach, »und ich fürchte mich auch nicht!«

Aber als er dann wieder allein im Dunkeln saß, zitterte er vor Angst und Kälte.

Amadeus war sehr traurig. Um sich zu trösten, erfand er Musik. Die Musik war nur in seinem Herzen, und er glaubte, niemand könne sie hören. Aber die alte Fledermaus, die über den dunklen Himmel streifte, hörte sie doch, denn Fledermäuse hören fast alles.

»Amadeus, Amadeus«, rief sie ihm zu, »morgen wird die Welt nicht mehr sein wie heute, weil du sie änderst!«

Da stand Amadeus auf, suchte Haselnußwurzeln und Efeuranken, knüpfte eine feste Leine daraus und band die Katze damit an einem Baum fest.

Am nächsten Morgen war die Katze wieder gesund.

»Pack dich«, rief sie. Ihre Augen sprühten wie Feuer, und ihre Zähne blitzten wie Dolche.

»Ha-a-a-r-r-r-ch!« fauchte sie und wollte sich auf die Maus stürzen . . . aber sie war ja festgebunden.

Die Katze war froh, daß sie die Maus nicht verschlungen hatte, und sie wollte schnell die Augen wieder zumachen. »Halt, liebe Katze!« rief Amadeus. »Du mußt mich ansehen, damit du dich an mich gewöhnst!«

Da öffnete die Katze ihre Augen vorsichtig einen Spalt weit. Die Augen glühten, und die Krallen zuckten, daß es der Katze weh tat. Sie zerrte am Halsband, aber sie fauchte nicht mehr.

So ging es eine ganze Weile. Die Katze öffnete die Augen, ihre Krallen zuckten, sie schloß die Augen, sie öffnete die Augen . . . Schließlich ließ das Zucken nach, und die Katze konnte die Maus betrachten, ohne sie fressen zu wollen.

»Du hast es geschafft«, rief Amadeus und band die Katze vorsichtig los.

»Nutze deinen Verstand«, murmelte die Katze, »und lauf um dein Leben!«

»Nein«, sagte Amadeus, »ich werde nicht weglaufen, denn das Herz ist stärker als der Verstand!«

Da packte die Katze blitzschnell zu. Langsam hob sie Amadeus zu sich herauf und betrachtete ihn lange mit ihren glasklaren Augen.

»Amadeus«, sagte sie schließlich, »du bist eine sonderbare Maus. Du hast mir das Leben gerettet, und du hast meinen Geschmack geändert.«

Dann dachte sie nach. »Was, um alles in der Welt, soll ich den anderen Katzen erzählen, wenn sie erfahren, daß ich eine Maus in meinen Krallen hatte, ohne sie zu fressen?«

»Erzähle ihnen einfach, daß du Vegetarierin geworden bist.«

»Vege . . . was?« fragte die Katze. »Ist das etwas Unanständiges?«

»Och«, stotterte Amadeus, »Vegetarier, das sind Leute, die keine Mäuse fressen, und das wird jetzt modern.«

»Ich dachte mir gleich, daß es etwas Unanständiges ist«, sagte die Katze. »Aber dir zuliebe könnte ich noch größere Verrücktheiten machen: Denn du bist ein Amadeus, und musikalische Mäuse hab ich nun mal zum Fressen gern.«

»Aber, aber . . . du darfst um Himmels willen nicht alles so wörtlich nehmen«, rief Amadeus erschrocken und versuchte, sich loszustrampeln.

»Diesmal nicht«, sagte die Katze und setzte ihn vorsichtig ins Gras zurück.

»Wußtest du eigentlich, daß ich auch sehr musikalisch bin?«

»Ehrlich wahr?« fragte Amadeus.

»Und wie«, schnurrte die Katze.

»Dann können wir ja öfter mal eine kleine Nachtmusik miteinander machen«, rief Amadeus begeistert.

»Mit tierischem Vergnügen«, schnurrte die Katze.

»Und später bring ich dir die Flötentöne bei«, sagte Amadeus vergnügt, »damit du weißt, wie es ist, wenn man auf dem letzten Loch pfeift!«

© Verlag Friedrich Oetinger, Hamburg 1990
Alle Rechte vorbehalten
Satz: Utesch Satztechnik GmbH, Hamburg
Lithos: Gries GmbH, Ahrensburg
Druck und Bindung: Proost N. V., Turnhout
Printed in Belgium 1993

ISBN 3-7891-7151-4